QUEL
RADIS!
DIS DONC ●

Pour Pol-Loup, le roi des radis !
P. G.-P.

Pour Florence et ses amies les souris...
A. P.

13, rue de l'Odéon, 75006 Paris – www.didier-jeunesse.com
Réalisation graphique : Yannick Grannec & Isabelle Southgate
Photogravure : Jouve Orléans & IGS-CP (16)
ISBN : 978-2-278-06156-3 – Dépôt légal : 6156/16
Loi n° 49-956 du 16 juillet 1949 sur les publications destinées à la jeunesse
Achevé d'imprimer en France en février 2022 chez Clerc (Saint-Amand-Montrond),
imprimeur labellisé Imprim'Vert, sur papier composé de fibres naturelles renouvelables,
recyclables, fabriquées à partir de bois issus de forêts gérées durablement.

PAPIER À BASE DE
FIBRES CERTIFIÉES

Didier Jeunesse s'engage pour
l'environnement en réduisant
l'empreinte carbone de ses livres.
Celle de cet exemplaire est de :
150 g éq. CO_2
Rendez-vous sur
www.didierjeunesse-durable.fr

QUEL RADIS ! DIS DONC

Une histoire contée par
Praline Gay-Para

avec le concours littéraire de
Céline Murcier

illustrée par
Andrée Prigent

DIDIER JEUNESSE
À petits petons

Un papi et une mamie
ont un jardin
si petit
qu'ils n'ont pu y planter
qu'une seule
graine de radis.

Le radis
grandit,
grandit,
grandit,

si bien qu'un jour
ses feuilles dépassent
la cheminée et empêchent
le soleil de passer.

Il faut l'arracher !

dit le papi.

Il attrape le radis, il tire, il tire, il tire,

il peut toujours tirer, le radis reste bien accroché !

Le papi appelle la mamie.

La mamie tire le papi, le papi tire le radis,

ils tirent,

ils tirent,

ils tirent,

ils peuvent toujours tirer,
le radis reste bien accroché !

La mamie appelle sa petite-fille.

La petite fille tire la mamie,
la mamie tire le papi,
le papi tire le radis,

ils tirent,

ils tirent,

ils tirent,

ils peuvent toujours tirer,
le radis reste bien accroché !

La petite fille appelle le chat.

Le chat tire la petite fille, la petite fille tire la mamie,
la mamie tire le papi, le papi tire le radis,

ils tirent,

ils tirent,

ils tirent,

ils peuvent toujours tirer, le radis reste bien accroché !

Le chat appelle la souris.

La souris tire le chat,
le chat tire la petite fille,
la petite fille tire la mamie,
la mamie tire le papi,
le papi tire le radis,

ils tirent,
ils tirent,
ils tirent...

et voici le radis arraché !

Le radis tombe sur le papi,
le papi tombe sur la mamie,
la mamie tombe sur la petite fille,
la petite fille tombe sur le chat,

et tous
tombent
sur la
souris

qui va dans son trou en criant coui, coui, coui !

Et l'histoire est finie.